Une aventure d'Étienne
La visite

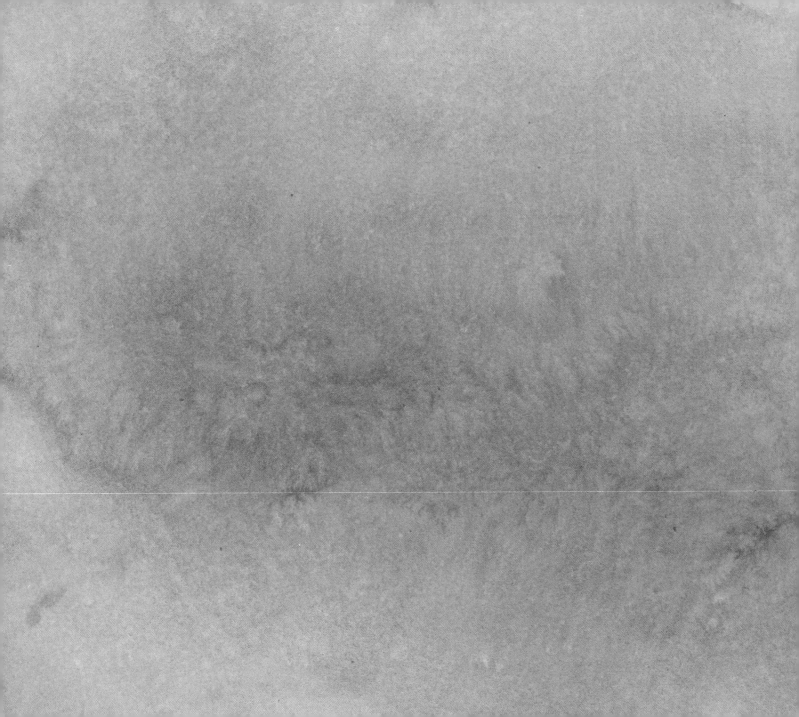

Pour Laura

Texte © Michaela Morgan 1986
Illustrations © Sue Porter 1986
Texte français © Scholastic-TAB Publications
Ltd. 1988
Tous droits réservés.

ISBN 0-590-71912-2

Titre original: Visitors for Edward

Édition publiée par Scholastic-TAB
Publications Ltd., 123 Newkirk Road,
Richmond Hill, Ontario, Canada L4C 3G5,
avec la permission de Mathew Price Ltd.

Imprimé à Hong-Kong
4321   89/801234/9

Une aventure d'Étienne
La visite

Michaela Morgan
Illustrations de Sue Porter
Texte français de Christiane Duchesne

Scholastic-TAB Publications Ltd.
123 Newkirk Road, Richmond Hill, Ontario, Canada

Va au lit,
Étienne!

Toute la nuit,

Étienne rêve à ces visiteurs inconnus . . .

C'est encore plus beau que tout ce qu'il aurait pu imaginer.

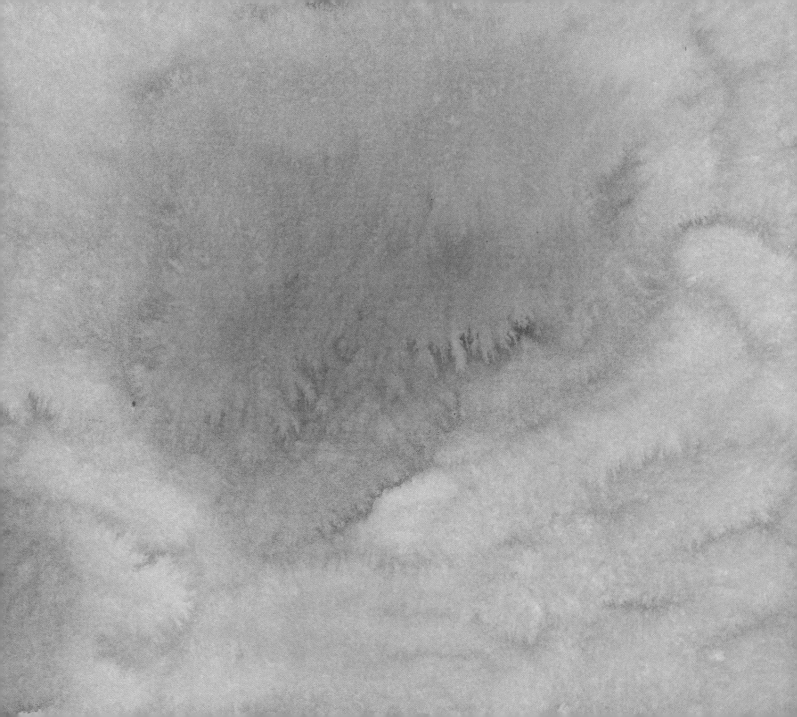